LE CHOCOLAT
les douces recettes

LE CHOCOLAT
les douces recettes

par

Hélène Leroy

Le Ballon

Conception: Anne Dendry

Rédaction: Jacques Mermans

Mise en pages: Sandra Maes

Direction artistique: Lieve Boumans

Photos des recettes: Diapress

Édition française: © MCMXCVI Le Ballon SA Malle Belgique.
Texte et illustrations: © MCMXCVI Hamlet Group & Diapress, Belgique.
Tous droits réservés.
ISBN 90 374 1986 0
D - MCMXCVI - 4969 - 195
Imprimé en Italie.

Sommaire

Introduction

LE CHOCOLAT: METS DES DIEUX OU IRRÉSISTIBLE FRIANDISE?

L'histoire du chocolat remonte à la nuit des temps.

Il y a plus de deux mille ans, les Indiens cultivaient déjà des fèves de cacao près de l'Équateur. Ce sont les Mayas qui, aux environs de l'an 600, l'introduisent à Yucatán, l'actuel Mexique.

Le premier Européen à avoir découvert le chocolat est vraisemblablement Christophe Colomb. Au Nicaragua, il voit les indigènes préparer une boisson à base de fèves qu'ils utilisent également comme monnaie d'échange. Il n'en n'est que peu impressionné.

Mais en 1519, lorsque les Espagnols partent à la conquête du Nouveau Monde sous les ordres de Cortés, ils goûtent une curieuse boisson servie avec faste chez Montezuma, l'empereur aztèque du Mexique. Cortés ramène les fèves et les recettes dans ses malles et les présente à la cour d'Espagne. Le breuvage ne connaîtra son succès que lorsqu'il sera additionné de sucre et de vanille. L'Espagne se lance dans la culture du cacaoyer sur ses territoires d'outre-mer et la recette de la boisson au chocolat sera soigneusement gardée. Elle voit même naître sur son propre territoire des usines qui transforment les fèves en pâte avant de les mélanger à l'eau.

Vers 1600, un Italien introduit la recette dans son pays et c'est de là qu'elle entamera une conquête triomphale à travers l'Europe. Après Venise, Paris tombe également sous les charmes de cette nouvelle saveur tandis qu'à Londres, on voit s'ouvrir des "maisons du chocolat", en plus des salons de thé et des cafés (où on ne consomme que du café).

Il faudra attendre la seconde partie du XVIIème siècle pour trouver le chocolat sous forme de tablette ou de noix. Mais sa consistance encore très granuleuse freinera sa popularité.

Cet aspect change lorsqu'en 1928, le Néerlandais Van Houten met au point un procédé pour extraire une grande partie du beurre de cacao liquide contenu dans les fèves. Vingt ans plus tard, l'Anglais Fry mélange les fèves broyées avec du sucre et davantage de beurre de cacao pour en faire une barre de chocolat de qualité très savoureuse. Nous devons le chocolat au lait au Suisse Nestlé qui, en 1875, y ajoute du lait condensé. Cinq ans plus tard, Lindt peaufine le procédé de mélange et on peut enfin déguster une barre de chocolat fin et aromatisé. Le chocolat blanc voit le jour au lendemain de la Seconde Guerre mondiale.

DE LA FÈVE AU BÂTON

Au milieu du XVIIIème siècle, l'historien naturaliste suédois Carolus Linnaeus baptise l'arbre qui fournit la matière première du cacao et du chocolat *Theobroma cacoa*, deux mots grecs qui signifient 'nourriture des dieux'.

Le goût est fonction du pays d'origine, en l'occurrence, le Brésil, l'Équateur, la Côte d'Ivoire ou Madagascar.

Les fèves fermentées sont lavées, séchées et passées au tamis avant d'être torréfiées et réduites en pâte épaisse. Pour la préparation finale, la masse liquide est divisée en beurre de cacao et en cacao solide, les matières premières qui serviront à la fabrication du chocolat. Celui-ci est préparé à partir d'un mélange de cacao, de sucre, et de beurre de cacao en proportions variables. On y ajoute des ingrédients tels que lait, vanille ou autres. Ce mélange est réduit en masse homogène et maintenu plusieurs heures en mouvement à une température fixe. Après la phase du 'conchage', le chocolat velouté et moelleux peut être tempéré et moulé.

Au-dessus à gauche: le cacaoyer porte de grands fruits. Ce sont les cabosses.

Ci-contre: chaque cabosse contient en moyenne 40 fèves ou graines noyées dans une pulpe blanchâtre. Les fèves et la pulpe sont exposées au soleil et subissent une fermentation qui libère les fèves de leur amertume.

Ci-dessus: les fèves sont ensuite lavées et séchées pour être livrées au chocolatier qui va les torréfier selon le même principe que le café. Elles seront ensuite débarrassées de leur enveloppe ou 'coque' avant d'être finement moulues en pâte de cacao, l'ingrédient de base pour la fabrication du chocolat et de ses dérivés.

DU CHOCOLAT À TOUTES LES SAUCES

Il y a chocolat et chocolat, car cette exquise douceur se décline en d'innombrables variétés ayant chacune sa saveur propre. En effet, celle-ci est fonction de sa composition, de la qualité et de l'origine des ingrédients ainsi que des procédés de fabrication. L'amertume du chocolat est définie par la teneur en cacao, soit la proportion d'ingrédients dérivés du cacao. La teneur en cacao du chocolat peut osciller entre 30 et 70 %. Un chocolat à 70 % de cacao est un chocolat d'une qualité exceptionnelle.

LE CHOCOLAT À CUIRE a une teneur en cacao de 100 %. Il ne contient ni sucre ni beurre de cacao ajouté. Principalement destiné à l'usage professionnel, il est pratiquement introuvable au détail. Une alternative constitue un mélange de trois parts de cacao en poudre pour une part de beurre.

LE CHOCOLAT DE COUVERTURE est le plus approprié pour les préparations de douceurs car il contient plus de cacao que le chocolat ordinaire.
Ce chocolat pur est principalement utilisé par les pâtissiers et est vendu dans le commerce spécialisé.

À ne pas confondre avec le chocolat fondant, LE CHOCOLAT BITTER (amer) a un goût très prononcé. Il s'agit du chocolat dans sa forme la plus simple, soit la masse durcie du chocolat 'liquide' - obtenu après torréfaction et concassage des fèves -, additionnée de sucre et éventuellement de vanille. Il est communément appelé chocolat de consommation.

Beaucoup plus doux, LE CHOCOLAT AU LAIT contient du lait condensé ou du lait en poudre ainsi que du sucre.

LE CHOCOLAT BLANC n'est en réalité pas du chocolat. Il ne contient pas de chocolat fluide. Cette friandise est fabriquée à base de beurre de cacao, de lait condensé, d'extrait de vanille et de sucre.

LE CACAO est le produit qui résulte de la pâte de cacao fluide dont on a extrait le beurre de cacao. Moulu et tamisé, le cacao entre dans la composition de toutes sortes de préparations. Il sert également à couvrir certains produits collants tels que les truffes.

LA POUDRE DE CACAO INSTANTANÉE est apparue sur le marché pour remplacer la poudre de cacao difficilement soluble dans l'eau ou le lait froid. On y a ajouté du sucre, de la lécithine ainsi qu'un émulsifiant.

Techniques de base

LES FICELLES DU MÉTIER

Ingrédient de prédilection dans la préparation des desserts, le chocolat permet de donner libre cours à son imagination. Pour un résultat optimal, il convient cependant de respecter certaines règles de base. Ainsi, la chaleur directe ou une température trop élevée figurent parmi les premières causes d'échec. Mieux vaut prévenir que guérir.

LA FONTE DU CHOCOLAT

La plupart des recettes incluent du chocolat fondu, même s'il ne s'agit que d'une couche décorative ou de la fabrication de figurines.
Voici les différentes façons de procéder:

<u>Au bain-marie</u>: la plus classique et la plus courante des façons. Il existe des casseroles spéciales. Cependant, une assiette creuse ou un plat résistant à la chaleur qui s'adapte sur une casserole d'eau bouillante fait parfaitement l'affaire. Dans le cas du chocolat, il est important que le fond du plat ou de l'assiette soit en contact avec la vapeur et non avec l'eau bouillante. Cassez le chocolat en petits morceaux et faites-le fondre lentement. Coupez la source de chaleur lorsqu'il commence à fondre.

<u>Au micro-ondes</u>: pratique et sûr. Cassez le chocolat en morceaux et placez-les dans un récipient en verre non couvert. Comptez environ 2 minutes par 100 g. Mélangez et contrôlez si tout le chocolat est bien fondu.

<u>Sur la source de chaleur (directe)</u>: n'utilisez cette méthode que si vous ajoutez d'autres ingrédients au chocolat tels que du lait, du beurre ou de la crème fraîche. Dès que le chocolat est fondu, retirez la casserole du feu pour arrêter la cuisson.

TEMPÉRER LE CHOCOLAT DE COUVERTURE

Principalement utilisée par les pâtissiers, cette technique permet de faire fondre lentement le chocolat de couverture et de le laisser refroidir tout en lui assurant un bel aspect lustré. Procédez comme suit: cassez le chocolat en morceaux et faites-le fondre au bain-marie ou au micro-ondes. Versez 2/3 du chocolat chaud sur un marbre et réservez le tiers restant. À l'aide d'une spatule, pétrissez le chocolat de couverture fondu jusqu'à ce qu'il épaississe. Continuez à pétrir et mélangez-le au chocolat restant. Mélangez énergiquement avec une cuillère en bois. Le chocolat est prêt à être travaillé.

GARNITURES EN CHOCOLAT

Copeaux: entourez l'extrémité du morceau de chocolat de papier aluminium pour éviter qu'il ne fonde pendant que vous le râpez. Utilisez une râpe ordinaire. Si vous désirez obtenir de plus grands copeaux, préférez l'éplucheur. Vous pouvez également utiliser le robot (fonction râpe ou couteau).

Rouleaux: à l'aide d'une spatule, raclez le chocolat de couverture fondu et étalé sur un marbre. Travaillez rapidement pour éviter que le chocolat ne durcisse avant que vous ne l'ayez raclé. Placez le couteau en oblique sur le marbre et exercez une faible pression. Les rouleaux se forment automatiquement. Vous pouvez également utiliser un couteau à fromage. Laissez suffisamment durcir les rouleaux avant utilisation.

Paillettes: procédez comme pour les rouleaux, en utilisant un long couteau pointu à la place d'une spatule. Tenez la pointe du couteau fermement à sa place sur le marbre et faites un mouvement de raclage en oblique, d'un quart de tour.

Feuilles:. procurez-vous de véritables feuilles bien lisses telles que des feuilles de laurier, de rosier ou d'oranger. Passez-les brièvement sur la surface du chocolat de couverture fondu. Égouttez l'excédent de chocolat et laissez durcir les feuilles sur du papier sulfurisé. La vraie feuille se détache alors facilement de la feuille en chocolat qui en a toutes les caractéristiques.

Figurines: étalez une couche de chocolat de couverture fondu sur du papier sulfurisé. Laissez prendre le chocolat et façonnez-en des figurines à l'aide d'un emporte-pièce. Vous pouvez également découper des petits carrés ou des losanges au couteau.

Garnitures à la poche: dessinez les motifs de votre choix sur du papier sulfurisé (fleurs, petits cœurs, papillons...). Mélangez quelques gouttes d'eau froide au chocolat pour l'épaissir davantage. Versez le chocolat fondu dans un cornet en papier sulfurisé dont vous aurez coupé la pointe. Remplissez le cornet aux 2/3, pliez-en le bord supérieur et pressez légèrement. Dessinez d'abord les contours, ensuite, remplissez-les. Laissez bien refroidir avant de retirer délicatement le papier.
Utilisez le même procédé pour faire des lettres en chocolat.

Cornets: versez une fine couche de chocolat fondu dans une forme de cornet. Tournez légèrement la forme pour répartir le chocolat de façon égale. Répétez l'opération jusqu'à obtention de l'épaisseur désirée. Laissez refroidir et démoulez le cornet en chocolat.

Biscuits
et autres petites douceurs

À déguster à toute heure. Avec une tasse de café ou de thé ou pour clore un bon repas en beauté, ces biscuits et friandises au chocolat sont irrésistibles. Ces petits démons tentateurs sont à consommer avec modération!

Rochers au chocolat

20 à 22 pièces
Temps de cuisson: 15 minutes
Température du four: 180°C

Ingrédients:

100 g de beurre
100 g de sucre semoule
1 œuf
100 g de flocons d'avoine
1 c. à s. de lait
150 g de farine
1/2 c. à s. de poudre
*   à lever*
175 g de chocolat noir
*   amer, coupé en*
*   morceaux*
175 g de chocolat au lait,
*   coupé en morceaux*
beurre pour les plaques
cacao en poudre pour saupoudrer

1 Préchauffez le four à 180°C. Beurrez deux plaques à pâtisserie.
2 Travaillez le beurre et le sucre, incorporez-y l'œuf, les flocons d'avoine et le lait.
3 Tamisez la farine et la poudre à lever sur ce mélange crémeux et ajoutez les morceaux de chocolat.
4 À l'aide d'une c. à c., façonnez des petites boules de pâte et répartissez celles-ci sur les deux plaques. Aplatissez-les légèrement avec le dos de la cuillère. Glissez les plaques au four et faites cuire à 180°C jusqu'à ce que les biscuits soient légèrement gonflés et dorés.
5 Laissez-les refroidir sur une grille et saupoudrez de cacao en poudre avant de les servir.

Brownies américains

Pour 4 personnes
Temps de cuisson: 30 minutes
Température du four: 180°C

Ingrédients:

1 pincée de sel
60 g de chocolat noir amer
80 g de beurre ou de
  margarine
80 g de farine
1/2 c. à café de poudre à lever
2 œufs
50 g de sucre semoule
1 c. à s. d'essence de vanille
100 g de cerneaux de noix
beurre pour la plaque

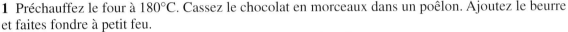

1 Préchauffez le four à 180°C. Cassez le chocolat en morceaux dans un poêlon. Ajoutez le beurre et faites fondre à petit feu.
2 Dans un bol, mélangez la farine, la poudre à lever et le sel.
3 Montez les blancs en neige et incorporez-y progressivement le sucre.
4 Tout en tournant, incorporez à ce mélange le chocolat fondu et l'essence de vanille.
5 Incorporez-le ensuite à la farine.
6 Hachez finement les cerneaux de noix et ajoutez-les au mélange.
7 Beurrez une plaque à pâtisserie et versez-y la pâte au chocolat. Lissez à la spatule.
8 Enfournez dans le four préchauffé pendant 25 minutes, jusqu'à ce que les bords débordent légèrement de la plaque.
9 Sortez la plaque du four et laissez refroidir. Coupez les brownies en petits carrés ou en 'boudoirs' et servez.

> **Suggestions:**
> ** Pour faciliter le démoulage, chemisez la plaque à pâtisserie d'une feuille de papier aluminium.*
> ** Pour donner à ces brownies un petit air de fête, couvrez-les d'un glaçage au chocolat et décorez d'un cerneau de noix.*

Florentines noires et blanches

Pour 30 pièces environ
Temps de cuisson: 10 minutes
Température du four: 180°C
Ustensiles: une spatule

Ingrédients:

25 cl de crème fraîche (40% M.G.)
50 g de beurre
100 g de sucre semoule
1/2 c. à café de miel
150 g d'amandes effilées
45 g de farine
1 pincée de poudre de gingembre
50 g de zestes d'orange confits
70 g de gingembre confit (en bocal)
55 g de chocolat au lait
150 g de chocolat noir amer
150 g de chocolat blanc
beurre pour les plaques

1 Préchauffez le four à 180°C. Beurrez deux plaques à pâtisserie. Mélangez dans un poêlon à feu moyen la crème, le beurre, le sucre et le miel jusqu'à ce que le sucre ait fondu. Tout en tournant, portez à ébullition. Retirez le poêlon du feu et ajoutez-y les amandes, la farine et la poudre de gingembre. Mélangez vigoureusement. Ajoutez les zestes d'orange confits, le gingembre confit finement coupé et le chocolat au lait en petits morceaux.
2 À l'aide d'une c. à s., façonnez des pâtons et déposez ceux-ci sur les plaques à pâtisserie en les espaçant de 7,5 cm. Aplatissez chaque pâton à l'aide du dos d'une cuillère trempée dans l'eau (pour éviter toute adhérence).
3 Enfournez une plaque à la fois et laissez cuire environ 8 à 10 minutes jusqu'à ce que les florentines soient dorées.
4 Entre-temps, faites fondre séparément le chocolat noir amer et le chocolat blanc, dans deux poêlons au bain-marie. Laissez-les refroidir cinq minutes et mélangez de temps à autre.
5 À l'aide d'une spatule, lissez la moitié des florentines de chocolat noir et l'autre moitié de chocolat blanc. Posez-les sur une grille à pâtisserie, côté chocolat vers le haut. Laissez refroidir un quart d'heure et disposez-les tête-bêche sur un plat en disposant quelques florentines à l'envers.

Tuiles au chocolat et à la cannelle

Pour 30 pièces environ
Temps de cuisson: 8 minutes
Température du four: 180°C

Ingrédients:

*1 1/2 c. à s. de poudre
    de cacao
3 blancs d'œuf
1 pincée de sel
1 pincée de cannelle
45 g de sucre candi blond
60 g de sucre semoule
2 1/2 c. à s. de farine
2 c. à s. de crème épaisse
30 g de beurre fondu
beurre pour les moules*

1 Préchauffez le four à 180°C. Beurrez deux moules et saupoudrez-les légèrement de farine. Retournez les moules pour les débarrasser de l'excédent de farine.

2 Dans un bol, mélangez intimement les blancs d'œuf et le sucre. Sur ce mélange, tamisez la farine, la poudre de cacao, la pincée de sel et la cannelle. Incorporez ensuite la crème et le beurre et mélangez bien.

3 Disposez chaque fois deux cuillères à café de cette pâte sur le moule. À l'aide du couteau à palette, façonnez-en un disque de 10 cm de diamètre environ. Laissez suffisamment d'espace entre chaque disque (pas plus de quatre par moule).

4 Enfournez 8 minutes dans le four préchauffé. Contrôlez la cuisson des tuiles avec les doigts: elles ne peuvent pas garder de traces d'empreinte.

5 Démoulez les tuiles à l'aide d'une spatule et posez-les sur un rouleau à pâtisserie pour leur donner leur forme.

6 Répétez l'opération jusqu'à épuisement de la pâte. Laissez refroidir les tuiles sur une grille.

Suggestions:

* Pour conserver les tuiles croquantes une dizaine de jours, conditionnez-les sous vide dans l'heure qui suit la cuisson.
* Les tuiles se marient à merveille avec de la glace ou de la mousse au chocolat.

Croquants meringués

Pour 50 pièces environ
Temps de cuisson: 20 minutes
Température du four: 170°C

Ingrédients:

1 blanc d'œuf
1 pincée de sel

90 g de sucre cristallisé
30 g de corn-flakes
60 g de chocolat noir amer râpé
beurre pour la plaque

1 Préchauffez le four à 170°C. Dans un bol jatte bien propre, battez le blanc d'œuf en neige ferme avec la pincée de sel. Incorporez progressivement le sucre et battez jusqu'à obtention d'une meringue bien ferme.
2 Dans un second bol, mélangez les corn-flakes légèrement écrasés et le chocolat râpé. Incorporez délicatement ce mélange à la meringue.
3 Beurrez une plaque à pâtisserie et déposez-y des petites boules de ce mélange à l'aide d'une c. à café. Enfournez dans le four préchauffé et cuisez 20 minutes à 170°C.
4 Sortez du four et laissez refroidir sur une grille.

Truffes noires et blanches

Pour 30 pièces environ
Matériel: une trentaine de formes
    à praline en papier

Ingrédients:

125 g de chocolat noir amer en morceaux
1 jaune d'œuf
100 g de beurre
30 g de poudre d'amande
50 g de cacao en poudre
50 g de coco râpé
100 g de sucre glace

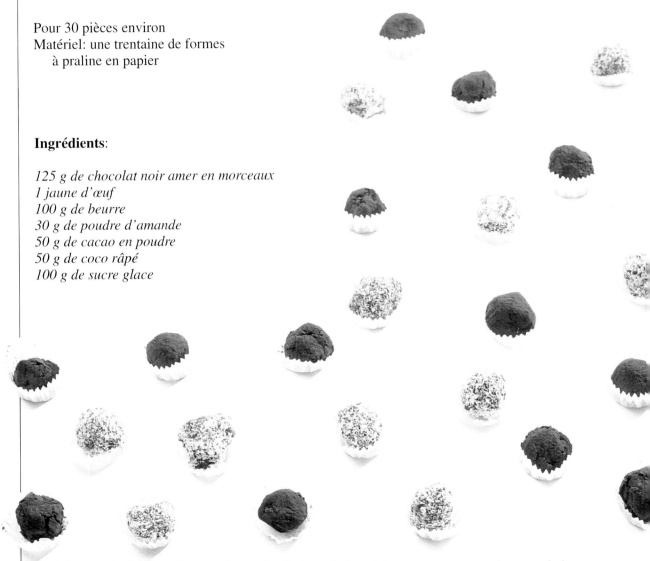

1 Faites fondre le chocolat au bain-marie. Retirez du feu et incorporez progressivement le beurre, le jaune d'œuf et le sucre glace. Mélangez jusqu'à ce que le beurre soit complètement fondu. Incorporez ensuite la poudre d'amande**.**
2 Déposez une c. à c. de pâte de chocolat dans le creux de la main et façonnez une petite boule. Répétez l'opération jusqu'à épuisement de la pâte.
3 Saupoudrez le cacao sur une assiette. Faites de même avec le coco râpé. Roulez les truffes dans le cacao ou dans le coco de façon à les couvrir d'une couche blanche ou noire. Disposez-les dans les formes en papier. Réservez au frais.

Pralines noires et brunes fourrées à la noix de coco

Pour 40 pièces environ
Temps de préparation: 15 minutes
Temps de cuisson: 40 minutes
Repos: 1 nuit

Ingrédients:

125 g de sucre glace
1/4 l d'eau

125 g de coco râpé
18 cl de crème fraîche
5 feuilles de gélatine
1 c. à s. de crème de cacao (liqueur)
90 g de beurre
100 g de chocolat au lait
100 g de chocolat noir amer
grains de café au chocolat ou copeaux
de chocolat

1 Faites tremper la gélatine dans un fond d'eau froide. Dans un poêlon, faites chauffer le sucre et l'eau à feu doux. Mélangez jusqu'à ce que le sucre soit complètement fondu. Ajoutez le coco râpé et portez à ébullition. Laissez cuire à petits bouillons jusqu'à obtention d'une masse crémeuse et consistante. Incorporez la crème et laissez à nouveau cuire jusqu'à obtention d'une masse consistante. Laissez refroidir ce mélange et ajoutez-y la crème de cacao (liqueur), ainsi que les 5 feuilles de gélatine.
2 Dans une tasse, travaillez le beurre en crème à l'aide d'une cuillère en bois et incorporez-le à la pâte au coco en veillant à ce que les deux ingrédients aient la même température. Laissez refroidir une nuit au réfrigérateur.
3 Le lendemain, confectionnez des petites boules ou des cubes. Si la pâte n'est pas assez consistante, mettez-la 15 minutes dans le congélateur.
4 Faites fondre les deux sortes de chocolat à part, au bain-marie. À l'aide d'une fourchette, trempez la moitié de chaque truffe dans le chocolat au lait, et l'autre moitié dans le chocolat noir. Laissez-les sécher sur une grille. Décorez d'un grain de café au chocolat ou de copeaux de chocolat. Laissez refroidir et durcir. Conservez dans un endroit frais.

Massepain au chocolat et à l'orange

Pour 12 pièces environ
Préparation: 1 heure

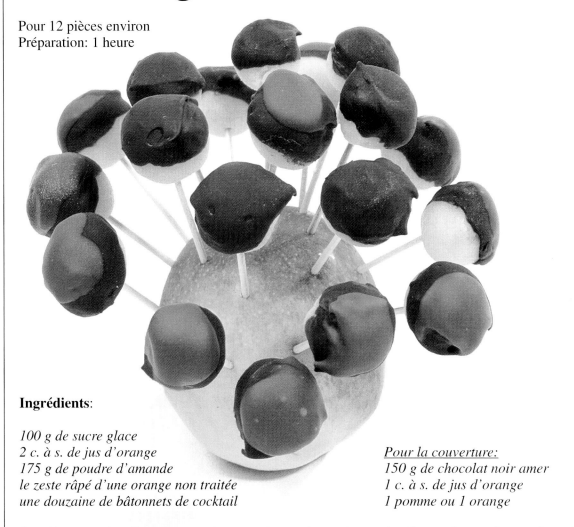

Ingrédients:

100 g de sucre glace
2 c. à s. de jus d'orange
175 g de poudre d'amande
le zeste râpé d'une orange non traitée
une douzaine de bâtonnets de cocktail

Pour la couverture:
150 g de chocolat noir amer
1 c. à s. de jus d'orange
1 pomme ou 1 orange

1 Mélangez le jus d'orange avec le sucre glace. Ajoutez la poudre d'amande et mélangez jusqu'à obtention d'une pâte consistante. Ajoutez-y le zeste râpé d'une orange et mélangez à nouveau.
2 Façonnez des petites pommes de terre de massepain.
3 Faites fondre le chocolat avec une cuillère de jus d'orange au bain-marie. Mélangez bien.
4 À l'aide d'un bâtonnet de cocktail, piquez une petite pomme de terre à la fois et trempez-la jusqu'à mi-hauteur dans le chocolat de façon à en couvrir la moitié. Piquez-la sur une pomme ou une orange.

Pralines glacées à la menthe

Pour 30 pièces environ
Préparation: 1 heure

Ingrédients:

12,5 cl de crème fraîche
250 g de chocolat blanc
100 g de beurre

2 à 3 c. à s. de crème de menthe (liqueur de menthe)
1 à 2 gouttes d'essence de menthe (en pharmacie)
30 formes à praline en papier
60 g d'angélique confite

1 Cassez le chocolat en morceaux et faites-le fondre au bain-marie avec la crème fraîche.
2 Retirez du feu et incorporez le beurre en morceaux ainsi que la liqueur. Tournez jusqu'à ce que le mélange soit bien lisse.
3 Ajoutez l'essence de menthe et laissez refroidir une petite heure au réfrigérateur en fouettant brièvement tous les quarts d'heure.
4 À l'aide d'une poche à douille cannelée, déposez une rosace de pâte dans chaque forme en papier. Ciselez l'angélique en petits morceaux et décorez-en les pralines.

Suggestions:
* Conservez les pralines dans le congélateur.
* L'angélique confite peut être remplacée par du zeste d'orange confit ou par une pastille en chocolat.

Fruits en habit de chocolat

Pour 24 pièces

Ingrédients:

24 fruits sélectionnés (fraises, cerises, physalis, dattes, grains de raisin, quartiers de mandarine ou d'orange...)
120 g de chocolat noir amer
120 g de chocolat blanc

1 Nettoyez les fruits et séchez-les à fond. Posez-les sur du papier absorbant.

2 Faites fondre le chocolat blanc au bain-marie. Mélangez jusqu'à ce qu'il soit bien lisse. Retirez du feu et laissez refroidir en continuant à tourner. Trempez-y les fruits ou les quartiers de fruits jusqu'à un tiers et posez-les sur une grille. Laissez sécher jusqu'à ce que le chocolat ait durci (environ 20 minutes).

3 Faites fondre le chocolat noir amer de la même façon. Plongez-y les fruits un à un, jusqu'à un tiers, de sorte que la couche de chocolat foncé forme un angle avec la couche de chocolat blanc. Celle-ci doit être en partie recouverte de chocolat noir. Laissez refroidir et servez aussitôt.

Suggestion:
* Vous pouvez également tremper la moitié du fruit dans le chocolat noir, et l'autre moitié dans le chocolat blanc.

Cakes et soufflés

L'arôme de la pâtisserie maison, le moment crucial où l'on peut enfin ouvrir la porte du four ... ne sont que les prémices des joies de la réalisation des cakes et soufflés. Le vrai plaisir se savoure en dégustant le fruit de votre effort culinaire en bonne compagnie, autour d'une tasse de café ou de thé fumant.

Quatre-quarts au chocolat

Pour 8 personnes
Temps de cuisson: 30 minutes
Température du four: 180°C
Matériel: un moule à charnière
de 20 ou 25 cm de diamètre

Ingrédients:

4 œufs
200 g de chocolat
200 g de beurre ou
de margarine
200 g de sucre semoule
200 g de farine
150 g de noix pilées (mélange)
30 g de beurre pour le moule
1 petit sachet de poudre à lever
Pour la garniture:
150 g de chocolat noir amer
1 dl de crème fraîche
50 g de sucre
50 g de noix

1 Faites fondre le chocolat en morceaux avec le beurre au bain-marie.
2 Dans un grand bol, battez les œufs entiers avec le sucre jusqu'à formation d'une mousse presque blanche (environ 10 minutes).
3 Incorporez-y le mélange au chocolat, la farine, la poudre à lever et les noix pilées.
4 Versez la pâte dans un moule rond beurré et cuisez le cake à 180°C pendant 30 minutes. Laissez refroidir et démoulez.
5 Faites fondre le chocolat au bain-marie et ajoutez-y le sucre. Retirez le poêlon du feu et incorporez la crème.
6 Nappez le cake de chocolat et décorez avec des noix.

Cake autrichien au chocolat

Pour 10 à 12 personnes
Temps de cuisson: 1 heure
Température du four: 180°C
Ustensile: moule à cake
de ± 30 cm de long

Ingrédients:

200 g d'amandes pilées
150 g de chocolat noir amer
200 g de beurre doux ou
de margarine
200 g de sucre semoule
6 œufs
125 g de farine fermentante
2 c. à s. de rhum
200 g de chocolat de couverture
beurre et chapelure pour le moule

1 Hachez finement les amandes au robot ménager (ou achetez-les pilées). Râpez grossièrement le chocolat noir amer.
2 Préchauffez le four à 180°C. Beurrez le moule à cake et saupoudrez-le de chapelure.
3 Travaillez le beurre en crème en y incorporant progressivement le sucre. Séparez les jaunes des blancs et incorporez les jaunes un à un au beurre. Tamisez-y la farine fermentante ainsi que les amandes pilées et le chocolat râpé.
4 Montez les blancs en neige et incorporez-les à la pâte. Ajoutez le rhum en mélangeant.
5 Versez la pâte dans le moule, lissez le dessus et enfournez 1 heure à 180°C. À l'aide d'une aiguille à tricoter, contrôlez la cuisson. Éteignez le four et laissez-y le cake dix minutes.
6 Démoulez-le sur une grille à pâtisserie.
7 Faites fondre le chocolat de couverture au bain-marie et nappez-en le cake. Laissez refroidir.

Suggestions
* Vous obtiendrez une autre saveur en ajoutant un peu de zeste d'orange râpé en même temps que le rhum.
* Si le cake est destiné aux enfants, remplacez le rhum par du jus d'orange dont vous mouillerez légèrement le cake avant de le napper de chocolat de couverture.

Kouglof au chocolat

Pour 8 à 10 personnes
Temps de cuisson: 40 minutes
Température du four: 200°C
Matériel: moule couronne

Ingrédients:

Pour le biscuit:
4 œufs
175 g de sucre semoule
125 g de farine
40 g de poudre de cacao
20 g de beurre fondu
beurre pour le moule
Pour la crème:
4 blancs d'œuf
20 g de sucre semoule
2 feuilles de gélatine
1 dl de lait
1/2 bâton de vanille
2 dl de crème fraîche
40 g de chocolat noir amer
Pour la garniture:
sucre glace
copeaux de chocolat

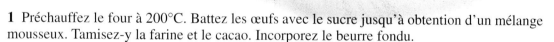

1 Préchauffez le four à 200°C. Battez les œufs avec le sucre jusqu'à obtention d'un mélange mousseux. Tamisez-y la farine et le cacao. Incorporez le beurre fondu.

2 Beurrez un moule couronne et versez-y la pâte. Enfournez et laissez cuire le kouglof pendant 40 minutes à 200°C.

3 Montez les blancs en neige avec le sucre. Fouettez la crème.

4 Portez le lait à ébullition avec le bâton de vanille fendu sur sa longueur et laissez-le tiédir. Faites tremper la gélatine et égouttez-la. Mélangez-la au lait tiède. Laissez refroidir ce mélange jusqu'à ce que le lait commence à s'épaissir.

5 À l'aide d'une spatule, incorporez-y les blancs en neige et la crème fouettée. Versez cette crème onctueuse dans deux récipients.

6 Faites fondre le chocolat et incorporez-le à une moitié de cette crème.

7 À l'aide d'un couteau tranchant, coupez le kouglof en trois disques. Étalez la crème blanche sur les deux disques inférieurs et posez le troisième sur le tout. Couvrez avec la crème au chocolat. Décorez avec les copeaux de chocolat et saupoudrez de sucre glace.

Cake marbré à la crème aigre

Pour 8 à 10 personnes
Temps de cuisson: environ 30 minutes
Température du four: 180°C
Matériel: moule rond de 20 cm

Ingrédients:

175 g de chocolat noir amer
225 g de beurre ou de margarine

225 g de sucre
4 œufs
350 g de farine fermentante
1,5 dl de crème aigre
1 c. à c. d'essence de vanille
1/2 c. à c. d'essence d'amande
sucre glace pour décorer

1 Cassez le chocolat en morceaux et faites-le fondre au bain-marie. Laissez refroidir quelques instants.

2 Travaillez le beurre avec le sucre jusqu'à obtention d'un mélange onctueux.

3 Fouettez-y les œufs un à un et ajoutez les essences. Incorporez la farine.

4 Divisez le mélange en deux parts égales. À l'une d'elles, incorporez la crème aigre et à l'autre, le chocolat fondu.

5 Beurrez un moule rond. Versez-y alternativement des cuillerées des deux pâtes et mélangez délicatement à l'aide d'une cuillère.

6 Enfournez à 180°C pendant une demi-heure environ, jusqu'à ce que le cake soit doré.

7 Laissez refroidir quelques instants avant de démouler. Saupoudrez généreusement de sucre glace au moment de servir.

Cake au chocolat fourré à la crème

Pour 12 personnes environ
Temps de cuisson: 1 h 15'
Température du four: 160°C
Matériel: moule à cake rond de 20 cm

Ingrédients:

Pour le cake:
225 g de chocolat noir amer, en morceaux
5 c. à s. de cognac ou de jus d'orange
175 g de beurre doux
175 g de sucre fin
4 œufs
150 g de farine fermentante
1/2 c. à c. de poudre à lever
75 g d'amandes pilées
beurre pour le moule
Pour la garniture:
15 cl de crème fraîche (40% de M.G.)
2 c. à s. de sucre glace
1 dl de crème fraîche
40 g d'amandes effilées et grillées
Pour la crème au chocolat (ganache)
20 cl de crème fraîche (40% de M.G.)

200 g de chocolat noir amer en morceaux
Pour la décoration: rouleaux en chocolat (voir technique de base p. 14)

1 Préchauffez le four à 160°C. Beurrez un moule à cake rond (20 cm de diamètre).
2 Faites fondre le chocolat au bain-marie avec le cognac ou le jus d'orange.
3 Travaillez le beurre et le sucre jusqu'à obtention d'un mélange mousseux, fouettez-y les œufs un à un et ajoutez le chocolat fondu. Tamisez-y la farine, la poudre à lever et mélangez. Ajoutez les amandes.
4 Versez la pâte dans le moule et cuisez le cake 1h 15' à 160°C. Laissez refroidir, démoulez et coupez-le en trois disques horizontaux.
5 Préparez la garniture. Fouettez fermement la crème fraîche avec le sucre glace. Incorporez-y la crème fraîche et les amandes grillées. Répartissez ce mélange sur les deux disques inférieurs.
6 Préparez la ganache. Dans un bain-marie, chauffez le chocolat en morceaux avec la crème fraîche. Laissez refroidir et fouettez jusqu'à obtention d'une consistance collante. À l'aide d'une spatule, étalez la ganache sur tout le cake et dessinez des motifs amusants.
7 Décorez de rouleaux en chocolat noir et blanc.

Cake brownie américain

Pour 12 personnes environ
Temps de cuisson: 35 à 40 minutes
Température du four: 180°C
Matériel: un moule rond de 20 cm

Ingrédients:

2 œufs battus
beurre pour le moule
200 g de chocolat noir
75 g de chocolat blanc
125 g de chocolat au lait
125 g de beurre ou de margarine
175 g de farine fermentante
125 g de noix hachées grossièrement

1 Hachez grossièrement les trois sortes de chocolat à part. Préchauffez le four à 180°C.
2 Faites fondre le chocolat noir avec le beurre au bain-marie. Laissez un peu refroidir et ajoutez-y les noix et les œufs battus.
3 Passez la farine au tamis et incorporez-la au mélange. Ajoutez les morceaux de chocolat au lait et de chocolat blanc.
4 Transvasez la pâte dans un moule beurré et enfournez à 180°C de 35 à 40 minutes. Laissez refroidir le cake dans son moule pendant 30 minutes environ.
5 Démoulez sur une grille à pâtisserie en retournant le moule. Découpez en tranches et servez.

Suggestions
* Ce cake peut se déguster avec une boule de glace à la vanille.
* Ce cake peut également être servi avec un coulis à la mangue: passez le jus et la chair de deux mangues bien mûres au mixer et incorporez-y le jus d'une orange et deux c. à s. de jus de citron ou de limon.

Bombe à la crème aux cerises

Pour 10 personnes environ
Temps de cuisson: 20 minutes
Température du four: 190°C
Repos: 5 heures
Ustensile: moule à pudding ovale d'une capacité de 1,2 l.
une plaque à pâtisserie de 30 x 30 cm

Ingrédients:

Pour le cake:
100 g de farine fermentante
15 g de cacao en poudre
1 pincée de poudre à lever
125 g de sucre semoule

125 g de beurre doux ou de margarine
2 œufs
1 petit verre à liqueur de cognac
cacao et sucre glace pour la décoration
Pour la garniture:
3 dl de crème fraîche
30 g de sucre glace
60 g de noisettes hachées
250 g de cerises dénoyautées en bocal
60 g de chocolat noir amer, râpé

1 Préchauffez le four à 190°C. Dans un bol, tamisez la farine, le cacao et la poudre à lever. Fouettez-y le sucre, le beurre et les œufs. Transvasez le mélange sur une plaque à pâtisserie beurrée de 30 X 30 cm. Enfournez 20 minutes à 190°C. Démoulez sur une grille à pâtisserie et laissez refroidir.

2 À l'aide du moule à pudding, découpez un disque dans le cake. Chemisez le moule de film alimentaire et tapissez-en les bords avec les chutes de cake. Égalisez au couteau si nécessaire. Mouillez le disque de cake et les parois du moule avec le cognac.

3 Préparez la garniture. Fouettez fermement la crème fraîche avec le sucre glace tamisé. Ajoutez-y les noisettes, les cerises égouttées et le chocolat. Versez ce mélange crémeux dans le moule à pudding.

4 Couvrez avec le disque de cake. Posez sur le tout une assiette sur laquelle vous placerez un poids ou un objet lourd. Laissez prendre au réfrigérateur pendant 5 heures environ.

5 Dressez la bombe sur un plat et saupoudrez de cacao et de sucre glace. Utilisez éventuellement un pochoir pour dessiner des motifs.

Cake italien au chocolat

(sans four)

Pour 6 personnes
Temps de préparation: 20 minutes
Refroidissement: 6 heures
Matériel: un moule
peu profond
de ± 23 cm

Ingrédients:

1 œuf
1 jaune d'œuf
120 g de sucre semoule
45 g de chocolat noir amer, râpé

45 g de beurre
30 g de noisettes hachées et grillées
125 g de biscuits (achetés), réduits en miettes
beurre pour le moule
crème fraîche pour la décoration

1 À l'aide du mixer, fouettez l'œuf avec le jaune et le sucre semoule jusqu'à obtention d'un mélange mousseux jaune pâle. Mélangez-y le chocolat râpé.
2 Dans un bain-marie, faites fondre le beurre et sans cesser de battre, incorporez le mélange aux œufs. En mélangeant, faites cuire le mélange. Laissez-le s'épaissir 5 à 10 minutes tout en tournant.
3 Retirez du feu et ajoutez-y les noisettes hachées et les miettes de biscuit.
4 Chemisez un moule peu profond de 23 cm de diamètre de papier à pâtisserie et beurrez-le. Versez le mélange dans le moule et laissez refroidir. Placez-le au moins 6 heures au réfrigérateur.
5 Démoulez délicatement et retirez le papier.
Présentez en petites ou en grandes parts et décorez de crème fraîche légèrement battue.

Suggestions:
* Pour une finition parfaite, saupoudrez la crème fraîche de vermicelles de chocolat ou piquez-y une feuille de chocolat.
* Si le cake est destiné aux adultes, ajoutez en fin de préparation un filet de rhum ou de Grand Marnier.

Soufflé au chocolat et aux amandes

Pour 4 personnes environ
Temps de cuisson: 40 minutes
Température du four: 190°C
Matériel: moule à soufflé d'une capacité d'1 litre

Ingrédients

50 g de beurre
50 g de farine

3 dl de lait
75 g de chocolat fondant
3 oeufs, blancs et jaunes séparés
50 g de sucre
1 sachet de sucre vanillé
25 g d'amandes effilées
beurre et sucre pour le moule à soufflé
cacao en poudre et sucre glace pour la décoration

1 Beurrez le moule et saupoudrez-le d'une pincée de sucre. Cassez le chocolat en morceaux.
2 Faites fondre le beurre dans un poêlon et incorporez-y la farine. Retirez le poêlon du feu et ajoutez le lait tout en mélangeant. Remettez le poêlon sur la source de chaleur et faites cuire le mélange quelques instants sans cesser de tourner. Coupez la source de chaleur et incorporez le chocolat fondu et les amandes effilées.
3 Préchauffez le four à 190°C.
4 Fouettez les jaunes d'oeuf dans le chocolat. Montez les blancs en neige en y ajoutant progressivement le sucre. Incorporez délicatement le chocolat aux blancs et versez l'appareil dans le moule à soufflé.
5 Enfournez 40 minutes à 190°C.
6 Sortez du four et saupoudrez le soufflé de sucre glace ou de cacao en poudre.

Petits gâteaux et tartes

Outre des recettes originales, ce chapitre n'a pas oublié les grands classiques. Mondialement connue, la "Sachertorte" y occupe une place digne de son rang. Les profiteroles constituent encore et toujours un dessert apprécié. Quels sont les enfants qui ne se sont pas pourléché les babines en dégustant les traditionnels pets-de-nonne ?
Vous pourrez désormais réaliser ces recettes.

Tartelettes au chocolat aromatisé aux fruits de la passion

Pour 20 tartelettes
Temps de préparation: 15 minutes
Repos: 20 minutes

Ingrédients:

*20 fonds de tartelettes
    sucrés précuits
7 à 8 abricots séchés
2 c. à s. de jus de citron
10 cerises confites
Pour la garniture:
4 dl de crème fraîche
3 fruits de la passion
110 g de chocolat noir amer
25 g de beurre doux*

1 Faites tremper les abricots dans un fond d'eau avec le jus de citron puis coupez-les en petits dés.
2 Ouvrez les fruits de la passion et passez la chair au tamis. Dans un poêlon, portez lentement le jus et la crème fraîche à ébullition. Entre-temps, hachez finement le chocolat.
3 Lorsque le jus et la crème fraîche sont sur le point de bouillir, incorporez la moitié du chocolat. Tournez jusqu'à ce que le mélange soit onctueux. Ajoutez le reste du chocolat et continuez à tourner. Laissez reposer 5 minutes et incorporez le beurre doux. Mélangez délicatement.
4 Laissez prendre le mélange une vingtaine de minutes au réfrigérateur. À l'aide d'une poche à douille cannelée, garnissez les fonds d'une rosace de crème et décorez d'un dé d'abricot et d'une demi-cerise confite.

Suggestions:
** Vous pouvez également décorer ces tartelettes avec un physalis, un zeste de citron râpé ou un morceau de zeste d'orange confit.
* Les fonds peuvent être préparés avec de la pâte achetée dans le commerce (coupez la pâte en carrés, badigeonnez d'un peu de beurre, foncez-en les moules et faites cuire 4 à 6 minutes à 200 °C).*

Tartelettes au cacao à la sauce au chocolat blanc

Pour quatre personnes
Temps de cuisson: 20 minutes
Température du four: 160°C
Matériel: 4 moules en aluminium de 4 cm
de haut et 8 cm de diamètre

Ingrédients:

*4 c. à s. de poudre de cacao
80 g d'amandes finement
moulues
300 g de sucre
4 blancs d'œuf
2 jaunes d'œuf
2 c. à s. de rhum
50 g d'amandes effilées et
de noisettes grossièrement
hachées
un peu de sucre glace
beurre pour les moules
Pour la sauce:
1 dl de crème fraîche
50 g de chocolat blanc
1 c. à s. de rhum*

1 Beurrez quatre petits moules en aluminium et saupoudrez-les d'amandes moulues (réservez-en un peu pour la garniture).
2 Mélangez le sucre, le cacao, le rhum, les jaunes d'œuf et le restant des amandes moulues. Montez les blancs en neige et incorporez-les très délicatement au mélange.
3 Remplissez les moules jusqu'à ras bord. Enfournez environ 20 minutes à 160°C. Lorsque la croûte commence à monter, les tartelettes sont cuites.
4 Entre-temps, faites dorer à sec les noisettes hachées et les amandes effilées dans une poêle.
5 Préparez la sauce: portez lentement la crème fraîche à ébullition et ajoutez-y le chocolat blanc coupé en morceaux. Incorporez le rhum et mélangez jusqu'à ce que le mélange soit onctueux.
6 Répartissez la sauce sur quatre assiettes et posez-y les tartelettes. Parsemez de noisettes et d'amandes grillées et saupoudrez de sucre glace.
Servez tiède ou froid.

Profiteroles

Pour 20 petits choux
Temps de cuisson: 20 minutes
Température du four: 220°C

Ingrédients:

12,5 cl d'eau
75 g de farine
50 g de beurre
2 œufs

une pincée de sel
beurre pour la plaque
Pour la garniture:
glace à la vanille
Pour la sauce:
100 g de chocolat noir amer
1/2 dl de crème fraîche

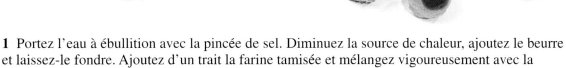

1 Portez l'eau à ébullition avec la pincée de sel. Diminuez la source de chaleur, ajoutez le beurre et laissez-le fondre. Ajoutez d'un trait la farine tamisée et mélangez vigoureusement avec la cuillère en bois jusqu'à formation d'une boule de pâte. Laissez refroidir la pâte dans un bol.
2 Incorporez les œufs un à un.
3 Transvasez la pâte dans une poche, beurrez une plaque à pâtisserie et façonnez des petits pâtons suffisamment espacés.
4 Faites dorer les petits choux dans un four à 220°C pendant 20 minutes.
5 Lorsqu'ils sont cuits, laissez-les refroidir quelques instants. Percez un petit trou dans leur base et laissez-les complètement refroidir.
6 Pour la sauce au chocolat, faites fondre le chocolat en morceaux dans la crème.
7 Fourrez les petits choux de glace à la vanille, nappez-les de sauce au chocolat et servez.

Suggestion:
* La glace peut être remplacée par de la crème pâtissière ou de la crème fouettée. Dans ce cas, fourrez les petits choux à l'aide d'une poche à douille.

Baisers au chocolat

Pour 16 pièces
Temps de cuisson: 15 minutes
Température du four: 200°C
Matériel: 16 formes à
   cake en papier

Ingrédients:

4 œufs
une pincée de sel
120 g de farine

200 g de sucre semoule
1 c. à s. de sucre vanillé
30 g de fécule de maïs
1 c. à café de poudre à
* lever*
Pour la garniture:
4 feuilles de gélatine
4 dl de crème fouettée
le zeste râpé d'un demi-
* citron*
Pour la couverture:
200 g de chocolat noir
* amer*

1 Préchauffez le four à 200°C. Entre-temps, séparez les blancs des jaunes et montez les blancs en neige ferme avec une pincée de sel. Battez les jaunes en crème avec 3 c. à s. d'eau tiède. Sans cesser de battre, ajoutez progressivement le sucre et le sucre vanillé.
2 Mélangez la farine, la poudre à lever et la fécule de maïs et ajoutez-les aux jaunes battus. Incorporez délicatement les blancs en neige.
3 Disposez les formes sur une plaque de cuisson et répartissez-y la pâte. Enfournez 15 minutes à 200°C. Laissez refroidir.
4 Entre-temps, préparez la crème pour la garniture: faites tremper les feuilles de gélatine dans l'eau froide. Battez fermement la crème fraîche et ajoutez-y le zeste de citron râpé. Égouttez les feuilles de gélatine, faites-les dissoudre dans un poêlon à feu doux et fouettez-les avec la crème battue.
5 Démoulez les cakes. Coupez-les en leur milieu, fourrez-les d'une couche de crème et replacez-les dans les formes.
6 Faites fondre le chocolat au bain-marie et nappez-en les cakes.

Tartelettes au chocolat et aux framboises

Pour 8 tartelettes
Temps de cuisson:
 25 minutes
Température du four: 185°C

Ingrédients:

4 œufs
150 g de sucre semoule
une pincée de sel
100 g de farine
100 g de fécule de maïs　*100 g de confiture*
50 g de cacao en poudre　*de framboises*
beurre pour le moule　*4 dl de crème fraîche*
Pour la garniture:　*100 g de sucre glace*
200 g de framboises　*5 cl de liqueur de*　*Pour la décoration:*
fraîches ou surgelées　*framboises*　*250 g de chocolat au lait*

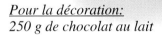

1 Préparez le biscuit: battez les jaunes avec le sucre et la pincée de sel jusqu'à formation d'une mousse blanche. Passez la farine, la fécule de maïs et le cacao au tamis et incorporez-les progressivement aux jaunes battus. Montez les blancs en neige ferme et mélangez-les délicatement à cette préparation. Beurrez un grand moule et versez-y la pâte. Enfournez 25 minutes à 185°C. Laissez refroidir le biscuit.
2 À l'aide d'un verre ou d'un emporte-pièce, découpez des disques dans le biscuit. Humectez-les de quelques gouttes de liqueur de framboises.
3 Battez la crème avec le sucre.
4 Couvrez 8 disques d'une couche de confiture de framboises. Dressez-y quelques framboises et couvrez de crème fouettée. Posez un second disque de biscuit et décorez avec le reste de la crème fouettée. Laissez refroidir plusieurs heures au réfrigérateur.
5 Faites fondre le chocolat au bain-marie. Versez-le sur un marbre froid ou tout autre plan de travail froid et, à l'aide d'une spatule, découpez des lamelles de chocolat. Cerclez-en les tartelettes et décorez la partie supérieure de rouleaux en chocolat (voir recette de base p. 14).

Suggestions:
* L'épaisseur du biscuit sera fonction de la grandeur de la forme utilisée. S'il est très épais, coupez les disques en deux dans le sens de l'épaisseur.
* Le chocolat au lait peut être remplacé par du chocolat blanc.

Tarte au chocolat et au caramel

Pour 6 personnes environ
Temps de cuisson: 30 minutes
Température du four: 210°C
Matériel: moule à tarte rond de 20 cm

Ingrédients:

Pour la pâte:
125 g de farine
60 g de beurre doux
1 jaune d'œuf
une pincée de sel
30 g de sucre
beurre pour le moule
haricots secs et papier
*   sulfurisé pour*
*   la cuisson à blanc*
Pour la garniture:
80 g de noix mélangées
80 g de noix
100 g d'amandes
150 g de sucre semoule
250 g de chocolat noir amer
1 dl de crème
1 dl d'eau

1 Mélangez au robot ménager ou à la main la farine, le beurre, le jaune d'œuf, le sucre, la pincée de sel et une cuillère d'eau jusqu'à formation d'une masse lisse. Façonnez-en une boule de pâte, emballez-la dans un sachet en plastique et laissez reposer au moins trois heures au réfrigérateur.
2 Sortez la pâte du réfrigérateur un quart d'heure avant de l'abaisser. Préchauffez le four à 210°C. Beurrez un moule à tarte rond et foncez-la de l'abaisse de pâte.
3 Cuisez le fond de tarte: couvrez l'abaisse d'une feuille de papier sulfurisé et répartissez-y une poignée de haricots secs. Enfournez 15 minutes. Retirez les haricots et le papier et enfournez encore cinq minutes.
4 Hachez finement les noix. Dans un poêlon, faites cuire le sucre dans un décilitre d'eau jusqu'à ce qu'il soit caramélisé. Retirez le poêlon du feu et ajoutez les noix hachées. Mélangez bien et étalez le caramel sur le fond de tarte.
5 Versez la crème dans un poêlon et faites-la cuire. Cassez le chocolat en morceaux, ajoutez-le à la crème et mélangez jusqu'à ce que le chocolat soit complètement fondu. Retirez du feu et laissez refroidir. Versez-le ensuite sur le fond de tarte.
6 Démoulez délicatement la tarte et servez lorsque le chocolat est bien froid.

Sachertorte

Pour 10 personnes
Temps de cuisson: 1 h 15'
Température du four: 180°C
Matériel: un moule
 à charnière de 25 cm Ø

Ingrédients:

*250 g de chocolat noir
 amer coupé en morceaux
150 g de beurre ou de margarine
200 g de sucre
8 œufs, blancs et jaunes à part
une pincée de sel
150 g de farine
beurre pour le moule
Pour la garniture:
250 g de confiture d'abricots
1 verre à liqueur de liqueur d'oranges*

*Pour le glaçage au chocolat:
250 g de chocolat noir amer   100 g de sucre
2 c. à s. d'eau   75 g de beurre*

1 Faites fondre le chocolat pour la tarte au bain-marie et laissez-le tiédir. Mélangez régulièrement. Préchauffez le four à 180°C.
2 Travaillez 200 g de sucre avec 150 g de beurre jusqu'à formation d'une crème lisse. Incorporez-y les jaunes d'œuf battus et le chocolat fondu. Mélangez bien et ajoutez la pincée de sel.
3 Tamisez la farine sur le mélange et tournez délicatement.
4 Montez les blancs en neige et incorporez-les délicatement au mélange.
5 Chemisez un moule à charnière de 25 cm de diamètre de papier sulfurisé beurré et étalez la pâte. Lissez le dessus.
6 Enfournez environ 1h 15', démoulez et laissez refroidir sur une grille à pâtisserie.
7 À l'aide d'un grand couteau, coupez la tarte à l'horizontale.
8 Incorporez la liqueur d'oranges à la confiture d'abricots. Chauffez quelque peu le mélange et garnissez-en le disque inférieur de la tarte. Posez-y le disque supérieur.
9 Tout en tournant, faites fondre au bain-marie le chocolat pour le glaçage avec 2 c. à s. d'eau et 100 g de sucre. Retirez du feu et fouettez-y le reste du beurre.
10 Posez la tarte sur un plat à tarte. Lorsque le glaçage au chocolat commence à s'épaissir, versez-le sur la tarte. Lissez au couteau.

> *L'authentique "Sachertorte" est une spécialité exclusive de l'Hôtel Sacher à Vienne. Cette recette célèbre dans le monde entier peut, sans difficulté, être réalisée par vos soins.*

Frou-frou

Pour 6 personnes
Temps de cuisson: 1 h 15'
Température du four: 150°C
Temps de refroidissement:
    6 heures

Ingrédients:

8 blancs d'œuf
2 jaunes d'œuf
165 g de sucre
125 g de sucre glace
175 g de chocolat noir
    amer
75 g de beurre
6 feuilles de gélatine

1 Préchauffez le four à 150°C. Montez 5 blancs en neige ferme avec 20 g de sucre. Mélangez
125 g de sucre au sucre glace et incorporez-les aux blancs battus.
2 Chemisez une plaque de cuisson de papier sulfurisé. Remplissez une poche à douille de blanc
d'œuf battu et faites trois disques de 18 cm de diamètre environ. Enfournez et laissez sécher la
meringue 1h15'. Pendant ce temps, faites tremper la gélatine.
3 Faites fondre au bain-marie 125 g de chocolat avec une c. à s. d'eau. Retirez le poêlon du feu et
incorporez le beurre et les jaunes; ajoutez-y les feuilles de gélatine égouttées. Montez le reste des
blancs en neige ferme avec le sucre restant et incorporez-les délicatement à la crème. Laissez
prendre 4 heures au réfrigérateur.
4 Couvrez les meringues d'une couche de mousse au chocolat et empilez-les. Laissez prendre une
heure au réfrigérateur.
5 Faites fondre le reste du chocolat au bain-marie avec une c. à s. d'eau. Versez-le sur un marbre,
laissez-le prendre et raclez-le en rouleaux. Décorez-en la tarte.

Tarte au chocolat et au fromage blanc

Pour 10 personnes
Temps de cuisson: 20 minutes
Température du four: 190°C
Refroidissement: 3 heures
Matériel: un moule carré

Ingrédients:

100 g de zeste d'orange confit
50 g de raisins secs
4 c. à s. de rhum brun
Pour le fond de tarte:
100 g de farine fermentante
15 g de cacao en poudre
125 g de sucre fin
125 g de beurre
2 œufs
Pour la garniture:
20 g de chocolat noir amer
   coupé en morceaux
2 œufs
30 g de sucre
250 g de fromage blanc gras
15 cl de crème fraîche
2 c. à s. de Cointreau ou de Grand Marnier

1 Faites tremper l'écorce d'orange et les raisins secs 1 h 30' à 2 h dans le rhum.
2 Préchauffez le four à 190°C.
3 Tamisez la farine et le cacao dans un bol. Mélangez-y le beurre, les œufs et le sucre jusqu'à obtention d'un mélange homogène. Versez la pâte dans le moule et enfournez 20 minutes. Laissez refroidir.
4 Faites fondre le chocolat au bain-marie. Montez les blancs en neige ferme avec le sucre.
5 Dans un autre bol, mélangez le fromage blanc, les jaunes d'œuf, le chocolat fondu, la liqueur de votre choix, le zeste d'orange confit (dont vous aurez réservé deux cuillerées pour la décoration) et les raisins trempés dans le rhum. Incorporez-y délicatement les blancs montés en neige ferme et la crème fraîche.
6 Démoulez le fond de tarte, posez-le sur un plat de service et nappez-le généreusement de garniture. Laissez prendre au moins trois heures au réfrigérateur. Décorez du zeste réservé.

Gâteau brugeois au chocolat

Pour un petit moule rectangulaire
Temps de cuisson: 15 à 20 minutes
Température du four: 220°C

Ingrédients:

Pour le fond:
400 g de pâte feuilletée (surgelée, en bloc)
beurre pour le moule
1 oeuf battu
Pour la garniture:
200 g de chocolat
4 blancs d'oeuf
70 g de sucre
noisettes ou amandes effilées,
    rouleaux en chocolat ou cerises
       du Nord pour décorer

1 Laissez dégeler la pâte et abaissez-la en un rectangle. Découpez sur chacun de ses côtés une lamelle de 2 cm. Chemisez-en les bords du moule en exerçant une légère pression. Badigeonnez les bords avec l'oeuf battu.
2 Beurrez le moule et rincez-le rapidement sous l'eau froide. Foncez-le avec l'abaisse de pâte. Piquez l'abaisse à la fourchette à intervalles réguliers. Laissez reposer quelques heures.
3 Préchauffez le four à 220°C. Enfournez 15 à 20 minutes.
4 Sortez le fond du four et laissez-le refroidir sur une grille à pâtisserie. Entre-temps, préparez la garniture au chocolat. Cassez le chocolat en petits morceaux. Faites-le fondre à feu très doux (de préférence au bain-marie). Incorporez le sucre et les jaunes d'œufs jusqu'à ce que le mélange soit bien lisse.
5 Montez les blancs en neige ferme et incorporez-les délicatement au chocolat. Versez ce mélange sur le fond de pâte et décorez de noisettes ou d'amandes effilées, de rouleaux en chocolat ou de quelques cerises du Nord. Laissez refroidir et servez.

Desserts froids

Pour beaucoup d'entre nous, la mousse au chocolat est le dessert par excellence. Avez-vous déjà préparé une mousse au chocolat blanc ? Dans ce chapitre, nous vous proposons également de nombreuses recettes de desserts froids dans lesquelles le chocolat tient un rôle important, tel que la Poire Belle Hélène nappée de sa sauce veloutée... Bon appétit.

Mousse au chocolat et aux raisins de Corinthe

Pour 4 personnes
Préparation: 15 minutes + 30 minutes pour le trempage
    des raisins de Corinthe

Ingrédients:

*1 boîte de godets en chocolat (dans le commerce)
cerises confites et grains de café en chocolat
    pour la garniture
60 g de raisins de Corinthe
1 petit verre de rhum brun
150 g de chocolat
    noir amer
75 g de beurre
3 œufs
20 g de sucre semoule*

1 Faites tremper les raisins une demi-heure dans le rhum.
2 Brisez le chocolat en morceaux et faites-le fondre au bain-marie.
3 Retirez du feu et incorporez progressivement le beurre sans cesser de tourner jusqu'à obtention d'une crème bien lisse.
4 Séparez les jaunes des blancs et incorporez les jaunes à la préparation au chocolat.
5 Montez les blancs en neige ferme avec le sucre. Incorporez délicatement les blancs battus à la préparation au chocolat et mélangez-y les raisins égouttés.
6 Versez la mousse dans une poche à douille et remplissez les godets en chocolat (à défaut, utilisez une cuillère). Décorez d'une cerise confite et de quelques grains de café en chocolat.

Variantes
* Faites fondre le chocolat au bain-marie avec 2 c. à s. de café fort.
* Décorez les godets de mousse d'écorce d'orange confite, d'amandes effilées grillées, de noix, de pastilles colorées en chocolat ou de granulés en chocolat.

Mousse au chocolat blanc et à la mangue

Pour 4 personnes
Préparation: 10 minutes + 6 heures de refroidissement

Ingrédients:

150 g de chocolat blanc en morceaux
25 cl de crème fraîche

1 cl de Grand Marnier
Pour la décoration:
1 mangue fraîche
rouleaux en chocolat (voir p. 14)
quelques feuilles de menthe fraîche

1 Faites fondre le chocolat au bain-marie avec la liqueur et la crème fraîche. Faites refroidir la préparation pendant au moins 6 heures.
2 Passez au mixer pour rendre la préparation plus mousseuse.
3 À l'aide de deux cuillères, façonnez des quenelles que vous répartissez sur quatre assiettes à dessert.
4 Décorez les mousses de morceaux de mangue, de rouleaux en chocolat et d'une feuille de menthe fraîche.

Glace au nougat, sauce amaretto et chocolat

Pour 6 personnes
Préparation: 40 minutes
Congélation: 12 heures
Matériel: 6 timbales de 1 1/2 dl

Ingrédients:

175 g de sucre fin cristallisé
150 g d'amandes effilées
2 blancs d'œuf
100 g d'amaretti (ou autres macarons)
2,5 dl de crème fraîche
2 c. à s. d'amaretto (liqueur d'amandes)
Pour la sauce:
2 dl de crème fraîche

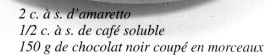

2 c. à s. d'amaretto
1/2 c. à s. de café soluble
150 g de chocolat noir coupé en morceaux

1 Dans un poêlon, faites fondre à feu doux 125 g de sucre avec deux c. à s. d'eau jusqu'à obtention d'un caramel blond. Incorporez les amandes. Versez la préparation sur une surface froide (p. ex. un marbre) et laissez durcir. Hachez finement.
2 Montez les blancs en neige ferme avec le reste du sucre (50 g). Émiettez finement les biscuits.
3 Battez fermement 2,5 dl de crème et ajoutez-y les biscuits émiettés, le caramel haché et 2 c. à s. d'amaretto. Incorporez les blancs.
4 Rincez les timbales sous l'eau froide, versez-y la préparation et congelez une nuit.
5 Préparez la sauce au chocolat: chauffez la crème avec le café soluble. Versez le mélange bouillant sur les morceaux de chocolat et mélangez jusqu'à ce que le chocolat soit fondu. Incorporez en dernier lieu l'amaretto.
6 Démoulez les timbales sur les assiettes à dessert, nappez de sauce au chocolat et servez avec des macarons.

Suggestions
* Pour démouler facilement les timbales, passez-les rapidement sous l'eau.
* À défaut de timbales, façonnez un gros boudin que vous emballez dans du papier aluminium. Présentez en tranches. Vous pouvez également congeler la glace dans une boîte de congélation et la servir en boules.

Mousse au chocolat blanc au coulis de fraises

Pour 4 personnes
Préparation: 15 minutes + 1 heure de refroidissement + préparation de la mousse au chocolat

Ingrédients:

mousse au chocolat blanc (voir p. 52)
<u>*Pour le coulis de fraises:*</u>
450 g de fraises
3 c. à c. de liqueur de cerises (Kirsch)
1/2 c. à café de jus de citron
125 g de sucre
<u>*Pour la décoration:*</u>
copeaux de chocolat blanc
quelques feuilles de menthe fraîche

1 Préparez une mousse au chocolat blanc selon la recette.
2 Préparez le coulis de fraises: réservez quelques fraises pour la décoration. Lavez les autres et coupez-en la moitié en tranches. Réservez. Réduisez en purée l'autre moitié avec le sucre.
3 Versez la purée ainsi que les tranches de fraises dans un poêlon et, tout en tournant, portez à ébullition. Laissez cuire pendant 2 minutes. Retirez du feu et incorporez la liqueur et le jus de citron.
4 Transvasez le coulis dans un plat et laissez refroidir. Une heure avant de servir, placez au réfrigérateur.
5 Choisissez 6 coupes que vous remplissez successivement d'une couche de coulis de fraises et d'une couche de mousse au chocolat blanc. Répétez l'opération jusqu'à ce que les coupes soient pleines. Couvrez d'un film alimentaire et laissez prendre une heure au réfrigérateur. Au moment de servir, décorez de copeaux de chocolat blanc, d'une fraise et d'une feuille de menthe fraîche.

Tiramisu

Pour 12 personnes
Préparation: 15 minutes + 12 heures au réfrigérateur

Ingrédients:
*400 g de mascarpone ou 200 g de mascarpone
    et 200 g de fromage blanc frais*
3 jaunes d'œuf
6 blancs d'œuf
6 c. à s. de sucre fin
5 cl d'amaretto
2 dl de café très fort
300 g de biscuits à la cuiller (boudoirs)
cacao en poudre

1 Battez les jaunes et le sucre jusqu'à obtention
d'un mélange mousseux. Mélangez-les avec le mascarpone et l'amaretto.
2 Battez les blancs en neige et incorporez-les délicatement à la préparation au fromage.
3 Trempez rapidement les biscuits à la cuiller dans le café froid et couchez-les dans un plat de service à bords droits. Couvrez-les d'une couche de fromage. Disposez une nouvelle couche de biscuits trempés dans le café et répartissez le reste du fromage.
4 Couvrez le plat et laissez refroidir une nuit au réfrigérateur.
5 Saupoudrez généreusement de cacao en poudre et servez bien froid.

Suggestions:
* *Le tiramisu prendra une allure de fête si vous le décorez de grands rouleaux en chocolat (voir recette de base p. 14).*
* *Ce dessert sera d'autant plus apprécié si vous le préparez un jour à l'avance.*

Originaire du nord de l'Italie, ce dessert a conquis le monde entier. Son succès est dû à la combinaison raffinée de plusieurs saveurs. Ses propriétés toniques sont le fait du café fort, du chocolat et de la liqueur d'amandes.

Glace au chocolat

Pour 1,2 litre
Préparation: 30 minutes + congélation
Matériel: sorbetière

Ingrédients:

1/2 l de crème fraîche
4 dl de lait entier
1 bâton de vanille
6 jaunes d'œuf
150 g de sucre
100 g de chocolat noir amer

1 Versez le lait et la moitié de la crème dans une casserole. Plongez-y le bâton de vanille et faites chauffez à feu doux.

2 Mettez les jaunes d'œuf et le sucre dans une jatte et, sans cesser de tourner, incorporez progressivement le liquide chaud. Transvasez le mélange dans la casserole et replacez sur la source de chaleur. Mélangez de façon continue jusqu'à ce que le liquide s'épaississe. Retirez la casserole du feu et laissez refroidir.

3 Cassez le chocolat en morceaux et faites-le fondre dans un poêlon avec le reste du lait. Laissez refroidir.

4 Mélangez la préparation à base d'œufs avec le chocolat fondu.

5 Fouettez le reste de la crème fraîche et incorporez-le à la crème.

6 Congelez dans la sorbetière.

Tom-pouce de cake à la glace au chocolat

Pour 8 personnes
Préparation: 40 minutes

Ingrédients:

16 fines tranches de cake
1/2 l de glace au chocolat (voir recette p. 56)
8 oranges
8 branches de menthe fraîche
20 g de beurre
Pour la sauce à l'orange:
125 g de sucre
1 1/2 dl de jus d'orange

1/2 feuille de gélatine
1 petit verre de cointreau

1 Faites tremper la gélatine dans un fond d'eau. Chauffez le jus d'orange dans un poêlon.
2 Dans un autre poêlon, préparez un caramel: faites fondre le sucre dans un fond d'eau et de beurre jusqu'à ce qu'il soit doré.
3 Retirez le poêlon du feu, incorporez le jus d'orange chaud et mélangez bien. Égouttez la géla- tine et ajoutez-la au jus. Mélangez encore et passez au chinois. Laissez refroidir et incorporez le cointreau.
4 Pelez l'orange à vif. À l'aide d'un couteau tranchant, découpez des quartiers sans peau.
5 Grillez les tranches de cake.
6 Posez une tranche sur chaque assiette à dessert. Couvrez de glace au chocolat et posez-y la seconde tranche. Dressez les quartiers d'orange sur les bords de l'assiette et nappez de sauce.
Décorez chaque tom-pouce d'une branche de menthe fraîche.

Poire Belle-Hélène

Pour 4 personnes
Préparation: 30 minutes

Ingrédients:

4 poires (Williams ou autre)
2 c. à s. de jus de citron
1/2 l de vin blanc demi-sec
150 g de sucre
1 bâton de cannelle
quelques morceaux de zeste de citron
8 boules de glace à la vanille
sucre glace pour décorer
Pour la sauce:
100 g de chocolat noir amer
un doigt d'eau de vie de poire (4 cl)
2 c. à s. de crème fraîche

1 Pelez les poires et arrosez-les d'un filet de jus de citron pour préserver leur couleur.
2 Préparez un sirop de sucre avec le sucre, le vin, la cannelle et le zeste de citron.
3 Pochez-y les poires jusqu'à ce qu'elle soient tendres (environ 5 minutes) et laissez-les refroidir dans le sirop.
4 Faites fondre le chocolat au bain-marie avec la crème fraîche et l'eau de vie.
5 Sortez les poires du sirop et égouttez-les. Retirez-en le cœur. Coupez les demi-poires en tranches jusqu'à la base de la tige et disposez-les en éventail sur les assiettes saupoudrées de sucre glace.
6 Entourez-les de 2 boules de glace à la vanille. Nappez de sauce au chocolat et servez.

Suggestion:
* Choisissez des poires pas trop mûres pour éviter qu'elles ne se décomposent.

Jacques Offenbach composa l'opérette qu'il intitula "La Belle Hélène". C'est à la suite de la première mondiale à Paris qu'un chef coq eut l'idée d'en baptiser un dessert à base de poires.

Desserts chauds

La fondue au chocolat est par excellence le dessert que l'on prend le temps de déguster. En outre, l'association des fruits frais et du chocolat est très harmonieuse. Essayez également les quatre autres recettes que nous avons sélectionnées pour flatter les palais les plus délicats.

Pain perdu à la sauce au chocolat

Pour 4 personnes
Temps de préparation: 30 minutes

Ingrédients:

2 œufs
15 cl de lait
4 tranches de pain blanc
2 c. à s. de beurre
2 c. à s. de sucre fin
cannelle

Pour la sauce au chocolat:
150 g de chocolat au lait coupé en morceaux
2 dl de lait
25 g de beurre
Pour la décoration:
1 dl de crème fraîche
1 sachet de sucre vanillé
cannelle

1 Battez les œufs avec le lait. Trempez-y les tranches de pain quelques instants. Faites fondre le beurre dans une poêle et faites dorer les pains perdus de chaque côté. Coupez-les en diagonales et saupoudrez-les d'un mélange de sucre et de cannelle. Conservez au chaud dans un papier aluminium.
2 Faites fondre les morceaux de chocolat avec le lait au bain-marie jusqu'à obtention d'une sauce onctueuse. Retirez du feu et incorporez le beurre en mélangeant.
3 Fouettez la crème fraîche avec le sucre vanillé.
4 Nappez chaque assiette de sauce au chocolat chaud, posez-y deux demi-tranches de pain perdu et saupoudrez de cannelle. Décorez d'une rosace de crème fouettée.

Crêpes au chocolat et aux noix

Pour 4 personnes
Temps de préparation:
    35 minutes +
    1 heure de repos

Ingrédients:

80 g de farine
une pincée de sel
1 c. à s. de sucre vanillé
2 œufs
1 jaune d'œuf
1 dl de lait
1 dl d'eau gazeuse
2 c. à s. de beurre fondu
Pour la garniture:
2 dl de crème fraîche
50 g de chocolat au lait aux noisettes
50 g de noix pilées
50 g de noix hachées

2 cl d'amaretto
sucre glace pour décorer

1 Préparez une pâte à crêpes classique à l'aide de la liste d'ingrédients. Laissez reposer 1 heure et cuisez 8 fines crêpes.
2 Versez la crème dans un poêlon, cassez le chocolat en morceaux et chauffez la crème en tournant, jusqu'à ce que le chocolat soit fondu.
3 Laissez cuire quelques minutes. Retirez le poêlon du feu et ajoutez les noix et l'amaretto.
4 Étalez la garniture sur les crêpes et roulez-les. Saupoudrez de sucre glace et servez tout de suite.

Suggestion de présentation:
* Pour un dessert de fête, accompagnez ces crêpes de sauce au chocolat (voir p. 75) et d'une boule de glace à la vanille.
Variante:
* Ces crêpes peuvent être servies avec d'autres garnitures telles que de la marmelade d'oranges ou de la confiture de griottes. Un délice avec une sauce au chocolat chaud!

Pudding chaud au chocolat et aux cerises

Pour 6 à 8 personnes
Préparation: 1 h 30'
Matériel: moule à pudding avec couvercle

Ingrédients:

100 g de chocolat noir amer coupé en morceaux
3 œufs, blancs et jaunes séparés
100 g de beurre
100 g de sucre
100 g de chapelure
4 c. à s. de rhum brun
100 g d'amandes moulues
beurre et sucre cristallisé pour
*   le moule à pudding*
Pour la crème vanille:
25 cl de crème fraîche
1 c. à s. de sucre vanillé
Pour la décoration:
1 bocal de cerises (1/2 l)
1 c. à s. de sucre
5 c. à s. de rhum brun

1 Faites fondre les morceaux de chocolat au bain-marie.
2 Montez les blancs en neige ferme avec un peu de sucre.
3 Mélangez les jaunes d'œuf, le beurre, le reste du sucre, la chapelure, les amandes moulues et le rhum. Incorporez-y le chocolat fondu.
4 Incorporez délicatement les blancs battus.
5 Beurrez un moule à pudding muni d'un couvercle et saupoudrez-le ensuite de sucre cristallisé. Remplissez-le jusqu'aux 3/4 avec la préparation au chocolat.
6 Portez une grande casserole d'eau à ébullition et placez-y le moule fermé. Laissez cuire 1 h 15' à feu doux.
7 Entre-temps, battez la crème fraîche avec le sucre vanillé. Réservez au frais.
8 Mélangez les cerises avec le sucre et le rhum brun.
9 À l'aide d'une aiguille à tricoter, vérifiez la cuisson du pudding. Si l'aiguille est propre, le pudding est cuit. Sortez-le de l'eau bouillante et laissez-le refroidir quelques instants.
10 Démoulez le pudding sur un beau plat de service, versez la crème vanille autour du pudding et décorez d'une couronne de cerises.

Fondue au chocolat

Pour 4 personnes
Préparation: 35 minutes

Ingrédients:

400 g de chocolat noir amer
2,5 dl de crème fraîche
250 g de fraises ou de raisins
6 kiwis   *250 g de cerises au sirop*
3 pêches (fraîches ou en conserve)   *250 g d'ananas (frais ou en boîte)*
2 bananes   *Au choix: biscuits à la cuiller, boudoirs,*
un peu de jus d'orange ou de citron   *morceaux de cake, madeleines,*
250 g de demi-abricots (en bocal ou en boîte) *marshmallows...*

1 Cassez le chocolat en morceaux et mettez-le dans une casserole avec la crème.
2 Faites-le fondre au bain-marie et mélangez à la cuillère en bois jusqu'à ce qu'il soit bien lisse. Battez-le pour le rendre légèrement mousseux et transvasez-le dans un caquelon à fondue.
3 Nettoyez les fruits frais et coupez-les en petits morceaux. Égouttez les fruits en conserves et coupez-les également en petits morceaux.
Arrosez les rondelles de banane de quelques gouttes de jus de citron ou d'orange.
4 Dressez tous les fruits par sorte sur un plat. Disposez les biscuits et les morceaux de cake sur un autre plat.
5 Placez le caquelon de chocolat fondu sur le brûleur, au milieu de la table.
6 À l'aide d'une fourchette à fondue, chaque convive pique un morceau de fruit, de cake ou de biscuit et le trempe dans le chocolat.

Suggestions:
* Lorsque le chocolat est fondu, ajoutez-y 2 c. à s. de kirsch, de Grand Marnier, de crème de cacao ou de toute autre liqueur de votre choix. Servez tout de suite.
Si les enfants sont de la partie, remplacez la liqueur par quelques gouttes d'extrait d'orange.
* Cette fondue peut être servie avec tous les fruits de saison. Veillez à badigeonner certains fruits délicats de jus de citron ou d'orange (pommes, poires, bananes) dès qu'ils sont coupés.

65

Petites bourses au chocolat

Pour 4 personnes
Temps de cuisson: 20 minutes
Température du four: 160°C

Ingrédients:

8 abaisses de pâte fillo*
300 g de chocolat noir amer coupé
  en morceaux
25 cl de crème fraîche
2 œufs + 4 jaunes
40 g de noix finement hachées
30 g de pistaches finement hachées
30 g d'amandes finement hachées
50 g de raisins de Corinthe

50 g d'abricots séchés
le jus de 3 oranges
80 g de sucre
20 g de beurre fondu
3 c. à s. d'eau
un petit verre de Grand Marnier (6 cl)
menthe fraîche et groseilles rouges pour la
  décoration

1 Faites cuire la crème fraîche à feu doux et ajoutez-y les morceaux de chocolat. Mélangez jusqu'à ce que le chocolat soit fondu. Retirez la casserole du feu et incorporez les jaunes et les deux œufs entiers. Laissez reposer quelques instants.
2 Dans un petit poêlon, faites caraméliser le sucre avec les 3 c. à s. d'eau. Incorporez le jus d'orange et faites cuire à feu doux pendant 10 minutes. Ajoutez les fruits secs finement hachés, les noix, le beurre et le Grand Marnier. Mélangez bien et laissez refroidir la préparation.
3 Préchauffez le four à 160°C. Superposez chaque fois deux tranches de pâte légèrement beurrées (de façon à ce qu'elles soient bien soudées). Déposez un peu de préparation au chocolat au centre de chaque double tranche et nouez-les en forme de bourses.
4 Posez les bourses de façon espacée sur une plaque de cuisson et enfournez 20 minutes à 160°C.
5 Dressez une petite bourse au centre de chaque assiette et entourez-la d'un filet de caramel aux noix. Servez tiède et décorez d'une feuille de menthe fraîche et de groseilles rouges fraîches.

* La pâte fillo est une pâte très mince qui provient de la cuisine grecque et turque. Vous la trouverez dans le commerce spécialisé ainsi que dans les grandes surfaces.

Variantes:
* À défaut de pâte fillo, vous pouvez réaliser cette recette avec des crêpes.
* Les noix et fruits secs peuvent être remplacés par des mendiants.

Fêtes enfantines

Hérisson en chocolat

Pour 6 à 8 juniors gourmands
Temps de cuisson: 30 minutes
Température du four: 180°C
Temps de préparation: 1 heure + refroidissement

Ingrédients:

3 œufs
3 c. à s. d'eau
150 g de sucre glace

120 g de farine
50 g d'amandes effilées
1/2 cerise confite
2 pastilles au chocolat jaunes
beurre pour le moule
Pour la crème au chocolat:
125 g de chocolat au lait coupé en morceaux
12,5 cl de crème fraîche
1 c. à c. de café soluble
25 g de beurre

1 Préchauffez le four à 180°C. Séparez les blancs des jaunes. Battez les jaunes avec l'eau tiède et le sucre.
2 Tamisez la farine au-dessus du bol et incorporez-la aux œufs.
3 Montez les blancs en neige et mélangez-les délicatement à la pâte. Beurrez et enfarinez un moule rond.
4 Versez la pâte dans le moule et enfournez 30 minutes à 180°C.
5 Démoulez, laissez refroidir et coupez le gâteau en forme de hérisson (oblongue).
6 Préparez la crème: faites fondre le chocolat avec le beurre au bain-marie. Retirez de la source de chaleur et mélangez-y la crème fraîche et le café soluble.
7 À l'aide d'une spatule, enduisez le gâteau de crème au chocolat. Piquez-y des amandes effilées pour lui donner l'apparence d'un hérisson. Utilisez la demi-cerise confite en guise de groin et les deux pastilles jaunes pour les yeux.

Un dîner entre amis

Cette recette célèbre comprenant entre autres du chocolat est originaire du Mexique. Il en existe plusieurs variantes depuis le XVIème siècle. Elle est généralement préparée à base de poulet, de dindonneau ou d'autres viandes. La sauce relevée comporte notamment des piments, différentes herbes aromatiques fraîches ainsi que plusieurs épices, de l'ail, des oignons, des tomates et du chocolat !Voici la recette du "mole" au dindonneau.

Mole de poblano de guajolote

Temps de préparation: environ 1 heure
Pour 8 à 10 personnes

Ingrédients:

3 c. à s. de saindoux
1/2 l d'eau légèrement salée
6 piments (2 rouges, 2 verts,
    2 jaunes)
1 gros oignon finement coupé
3 belles tomates
1 c. à s. de graines de sésame grillées
1 gros dindonneau coupé en morceaux
2 c. à s. de raisins de Corinthe
laurier, thym, marjolaine, coriandre
    (1 pointe de couteau de chaque)
2 feuilles de laurier
1/2 c. à café de cannelle
1/2 c. à café de graines d'anis

6 c. à s. de saindoux (ou de beurre)
sel et poivre
60 g de chocolat noir amer, râpé

1 Faites fondre 3 c. à s. de beurre ou de saindoux dans une grande poêle à frire et faites-y revenir les morceaux de dindonneau sur toutes leurs faces.
2 Portez l'eau salée à ébullition et versez-la sur la viande.
3 Préparez la sauce: faites tomber les oignons et l'ail dans 3 c. à s. de saindoux. Ajoutez-y les tomates coupées en morceaux et laissez épaissir à feu doux.
4 Hachez finement les piments et ajoutez-les aux tomates, de même que les graines de sésame. Ajoutez les raisins de Corinthe, les herbes et les épices.
5 Incorporez-le tout à la viande, ajoutez un peu d'eau si nécessaire et faites mijoter une demi-heure. Ajoutez le chocolat râpé une dizaine de minutes avant la fin de la cuisson.

À Pâques

Bavarois au chocolat au coulis de pêche

Pour 6 à 8 personnes
Temps de préparation: 40 minutes + réfrigération
Ustensile: moule à bavarois d'1 litre

Ingrédients:

100 g de chocolat noir amer
1/4 l de lait
2 jaunes d'œuf
2 blancs d'œuf
90 g de sucre semoule
5 feuilles de gélatine blanche
25 cl de crème fraîche
un filet d'huile pour le moule à bavarois

Pour le coulis:
150 g de pêches en conserve
1 c. à s. de sucre semoule
1 filet de liqueur de pêches ou de Grand Marnier
Pour la décoration:
demi-pêches
amandes effilées grillées

1 Faites tremper la gélatine dans un fond d'eau froide. Cassez le chocolat en morceaux et faites-le fondre au bain-marie dans la moitié du lait. Huilez un moule à bavarois.
2 Dans un grand bol, battez les jaunes d'œuf avec la moitié du sucre et un peu de lait.
3 Faites cuire le reste du lait avec le reste du sucre. Tout en mélangeant, versez ce mélange sur les jaunes. Incorporez le chocolat fondu et faites épaissir à feu très doux.
4 Égouttez la gélatine et mélangez-la au bavarois. Laissez refroidir quelques instants.
5 Montez les blancs en neige ferme, battez la crème fraîche et incorporez-les alternativement au bavarois de façon à ce qu'il reste léger et mousseux.
6 Versez la préparation dans le moule huilé, lissez le dessus et laissez prendre au réfrigérateur.
7 Mixez les pêches avec le sucre, passez au chinois et incorporez-y la liqueur de pêches.
8 Démoulez le bavarois sur un beau plat de service, entourez-le de demi-pêches, nappez de coulis et décorez d'amandes effilées grillées. Servez le reste du coulis à part.

Variantes:
* Le coulis et les demi-pêches peuvent être remplacés par de l'advocaat en bouteille que vous diluerez dans un peu de crème. Nappez-en le plat de service et décorez de copeaux de chocolat.
* Ce bavarois se marie également très bien avec un coulis aux fruits de la passion. Coupez les fruits de la passion en deux, évidez-les à la cuillère, mélangez-y un filet de vin blanc doux et un peu de sucre glace. Terminez par un peu de crème légèrement battue.

Gâteau au spéculoos et au mascarpone

Pour environ 16 parts
Temps de préparation: +/- 1 heure + 12 heures pour le refroidissement
Matériel: moule à charnière de 26 cm Ø

Ingrédients:

200 g de spéculoos ou autres biscuits
100 g de beurre doux ou de margarine
Pour la crème:
6 feuilles de gélatine
500 g de mascarpone
500 g de fromage blanc maigre
200 g de sucre

1 c. à s. de cacao
4 c. à s. de miel liquide
1/2 l de crème fraîche
cacao et amandes pilées pour la garniture

1 Cassez les spéculoos en morceaux, placez-les dans un sac en plastique et roulez-les au rouleau à pâtisserie. Mélangez les miettes avec le beurre doux. Étalez ce mélange sur le fond d'un moule à charnière. Pressez avec les doigts. Placez le moule au réfrigérateur.

2 Préparez la crème: faites tremper la gélatine dans l'eau froide. Mélangez le mascarpone, le fromage blanc maigre et le sucre. Continuez à mélanger jusqu'à ce que le sucre soit complètement dissou. Ajoutez le miel et le cacao.

3 Égouttez les feuilles de gélatine et mettez-les dans un poêlon. Faites fondre à feu doux. Retirez le poêlon du feu et incorporez-y un peu de préparation au mascarpone. Versez la gélatine dans le restant de la préparation. Battez fermement 1/4 l de crème et incorporez-la au mélange.

4 Étalez la crème au mascarpone sur le fond au spéculoos et lissez le dessus. Placez au moins 12 heures au réfrigérateur.

5 Détachez les bords à l'aide d'un couteau bien aiguisé et démoulez le gâteau.

6 Découpez des étoiles de différentes dimensions dans du carton. Posez-les sur le gâteau. À l'aide d'un tamis, saupoudrez de cacao et retirez les étoiles.

7 Fouettez le restant de la crème, remplissez-en une poche à douille et décorez le contour du gâteau. Saupoudrez d'amandes pilées.

Boissons chaudes

Rien de tel qu'un bon chocolat chaud pour se réchauffer après une grande promenade hivernale ou pour se remettre d'une longue journée de travail. Tel quel ou relevé d'un doigt d'alcool, au chocolat noir ou même au chocolat blanc...

Chocolat chaud

Pour 1 tasse

Ingrédients:

1 tasse de lait entier
1,5 c. à café de cacao en poudre
1 c. à s. de sucre
Pour la décoration (facultatif):
crème fouettée
rouleaux en chocolat ou granulés en chocolat

Chauffez le lait dans un poêlon jusqu'à ce qu'il soit bouillant. Veillez à ce qu'il ne cuise pas. Prélevez-en deux c. à s. dans lesquelles vous délayez le cacao et le sucre. Tournez jusqu'à ce que le mélange soit bien lisse et incorporez-le au lait bouillant. Fouettez énergiquement. Chauffez sans cuire. Versez le chocolat chaud dans un bol et servez avec une rosace de crème fouettée. Décorez éventuellement avec des rouleaux ou des granulés en chocolat.

Chocolat chaud blanc

Pour 1 tasse

Ingrédients:

1 tasse de lait entier
45 g de chocolat blanc (râpé)
1 c. à café de sucre vanillé
Pour la décoration (facultatif):
crème fouettée
une pincée de cannelle

Dans un poêlon, faites chauffer à feu doux le lait, le chocolat blanc râpé et le sucre vanillé en mélangeant et sans laisser cuire. Décorez éventuellement d'une rosace de crème fouettée. Saupoudrez de cannelle.

Express au chocolat et au rhum

Pour 1 tasse

Ingrédients:

1/4 de tasse d'express ou de café fort
1/4 de tasse de chocolat (voir ci-contre)
2 c. à s. de rhum brun
1 c. à s. de crème de cacao
Pour la décoration (facultatif):
une rosace de crème fouettée
chocolat râpé ou granulés en chocolat

Dans un poêlon, faites chauffer à feu doux l'express, le chocolat chaud, le rhum et la crème de cacao. Mélangez régulièrement jusqu'à ce que le liquide soit bouillant. Veillez à ce qu'il ne cuise pas. Versez l'express au chocolat dans une tasse en verre résistant et décorez d'une rosace de crème fouettée. Terminez avec du chocolat râpé ou des granulés en chocolat.

Rhum-coco

Pour 1 verre

Ingrédients:

1 c. à s. de coco séché et râpé
4 à 6 cuillères à café de cacao en poudre
1 c. à s. de sucre
1 dl de lait
3 c. à s. de lait de coco
3 c. à s. de rhum brun
1/4 dl de crème fouettée
1 bâtonnet en chocolat pour la garniture

Faites légèrement dorer le coco dans une poêle sans graisse.
Préparez le chocolat chaud avec le cacao, le sucre, le lait et le lait de coco. Incorporez-y le rhum et versez le mélange dans un verre résistant à la chaleur. Couvrez de crème fouettée, saupoudrez de coco grillé et décorez d'un bâtonnet en chocolat.

Sauces

Sauce au chocolat

Ingrédients:

250 g de chocolat noir amer de qualité
25 cl de crème fraîche (40% de M.G.)

Recette de base:
Hachez ou cassez le chocolat en morceaux. Versez la crème dans un poêlon. Faites-la cuire et versez-la bouillante sur les morceaux de chocolat. Mélangez bien.

> **Variantes:**
> *Vous pouvez ajouter à cette recette de base un des ingrédients suivants:*
> ** 1 c. à c. d'extrait de café*
> ** quelques gouttes d'essence de vanille*
> ** un demi-verre de jus d'orange*
> ** une pincée de cannelle*
> ** du gingembre confit râpé*
> ** un filet d'alcool fort (rhum, kirsch, calvados, cognac, whisky...)*
> **Suggestion:**
> ** Si vous avez l'intention d'ajouter un alcool, mélangez-le à la crème que vous versez sur le chocolat.*

Sauce au chocolat chaud, à la vanille et au miel

Ingrédients:

200 g de chocolat noir amer de qualité
25 cl de crème fraîche
30 g de miel
1/2 bâton de vanille

Faites cuire la crème avec le miel et le bâton de vanille. Sortez le bâton de vanille du lait et extrayez-en la substance intérieure pour la mélanger à la crème. Cassez le chocolat en morceaux et faites-le fondre au bain-marie. Tout en mélangeant, incorporez-y la crème bouillante. Servez la sauce bien chaude.

Sauce au sabayon

Ingrédients:

1 œuf + 2 jaunes
100 g de sucre
2 dl de vin blanc sec

Dans un bol, fouettez les jaunes avec l'œuf entier et le sucre jusqu'à ce que le mélange blanchisse. Placez le bol dans un bain-marie et incorporez progressivement le vin blanc en fouettant jusqu'à ce que la préparation ait doublé de volume. Servez chaud ou froid.

Sauce à la vanille

Temps de préparation: 35 minutes

Ingrédients:

1 bâton de vanille
1/4 l de lait
12,5 cl de crème fraîche
3 jaunes d'œuf
100 g de sucre

1 Versez la crème fraîche et le lait dans un poêlon. Fendez le bâton de vanille et plongez-le dans le mélange crémeux.
2 Dans un bol, fouettez les jaunes d'œuf avec le sucre jusqu'à obtention d'un mélange mousseux. Incorporez progressivement la crème à la vanille et fouettez au bain-marie jusqu'à ce que la sauce épaississe et mousse.
3 Servez cette sauce chaude ou froide.

> **Suggestion:**
> ** Cette sauce accompagne merveilleusement bien les œufs à la neige préparés avec des blancs d'œuf. Nappez le tout de sauce chaude au chocolat. Un régal!*

Le saviez-vous?

Le chocolat est depuis longtemps associé à l'amour. L'association de la caféine et du sucre stimule entre autres la partie du cerveau qui commande cette fonction. Ce n'est pas sans raison que le grand séducteur Casanova affirmait devoir son succès auprès des femmes aux grandes quantités de chocolat chaud qu'il absorbait quotidiennement.

Offertes en cadeau, les pralines - qui doivent leur nom à la Duchesse de Plessis-Pralin - restent un symbole d'estime et/ou d'amour.

Un morceau de chocolat noir de dix grammes contient cinquante calories.

Oui, la dépendance au chocolat existe au même titre que celle au café, à la cigarette ou à l'alcool. Près de 40 % des femmes et 20 % des hommes ont une envie irrésistible de manger du chocolat. Cet attrait est dû à la présence du sucre et de la graisse, deux ingrédients garants d'un certain équilibre. Outre son pouvoir réconfortant, le chocolat apporte une énergie cérébrale. Et comme nous nous complaisons dans cet état, nous sommes naturellement tentés d'en consommer.

Le chocolat contient 20 mg de caféine par 100 g. Une tasse de café en contient 180 mg.

"Le chocolat provoque de l'acné". Ce dicton peut être relégué dans le tiroir des légendes car il n'existe aucun lien scientifique entre la consommation de chocolat et l'apparition des boutons.

C'est à Paris, en 1995, que s'est tenu le premier salon du chocolat. Cinq mille mètres carrés consacrés au seul chocolat. Le succès fut tel qu'on parle d'une réédition.

Depuis mars 1996, on peut visiter le temple du chocolat mis en place à Bruxelles par Côte d'Or. Les enfants y apprennent l'histoire du chocolat et découvrent les autres aspects de cette friandise. Un voyage aventureux au pays des contes les emmène à travers de splendides décors. On peut aussi déguster!

Nouveau sur le marché: la liqueur de chocolat. Cette nouveauté vient à point nommé pour relever vos desserts, aromatiser vos cocktails ou comme pousse-café.

Suggestions:

* Conservez le chocolat dans un endroit frais, sec et à l'abri de la lumière, mais pas dans le réfrigérateur. De cette manière, le chocolat noir ou au lait se garde sans problème une année. Il est préférable de consommer le chocolat blanc dans les huit mois.
* La fine pellicule blanche qui recouvre parfois le chocolat signifie qu'il a transpiré. Si son goût en est légèrement altéré, cela ne signifie pas pour autant que le chocolat soit moisi.
* Le goût fort, aigre-doux du chocolat ne semble pas facile à combiner avec le vin. Les vins liquoreux tels que le porto, le Rivesaltes et le Banyuls se marient très bien avec le chocolat. Plus difficile à trouver sur le marché, le Banyuls rouge est son partenaire idéal.

Index